Mi mayor deseo

Steward Stephens
ilustraciones de Frank Sofo

Harcourt

Orlando   Boston   Dallas   Chicago   San Diego

Visita *The Learning Site*

www.harcourtschool.com

Me llamo Mateo Rodríguez, y me encanta tocar el piano. Soy un poco tímido, así que siempre me ha sido difícil entablar conversación con la gente que no conozco. Algunas veces soy tan tímido que no levanto la mano para responder en la clase, aún cuando sé la respuesta.

El verano pasado, mi familia se mudó a un nuevo vecindario. Me costó mucho trabajo hacer nuevos amigos en nuestro nuevo barrio.

Hay un niño que se llama Ramón que vive al cruzar la calle, pero estaba de vacaciones con su familia cuando nos mudamos. Al regresar de sus vacaciones, Ramón vino a mi casa a presentarse. Después me presentó a Mike, que vive en la cuadra siguiente. Cuando comenzó la escuela, me puse muy contento al enterarme que Ramón estaba en mi clase.

Un día nuestro maestro, el Sr. Rosen, nos anunció que muy pronto habría un espectáculo de arte y música en la escuela. Nos dijo:

—Levanten las manos los que quieran participar.

La clase comenzó a agitarse. Una docena de brazos se alzaron. Yo comencé a levantar la mano, pero paré y la bajé. No me salían las palabras. Me quedé pegado en mi pupitre mientras los otros se ofrecían a participar.

Sylvia dijo que mostraría sus pinturas. Nilda y
Mark construirían un escenario para un obra de teatro
que habían escrito un grupo de estudiantes. La obra se
desarrollaba en una isla tropical. Anna iba a cantar.
James iba a bailar y Cheryl tocaría la guitarra.

Entonces el Sr. Rosen dijo:

—En el auditorio hay un piano, sería bueno tener a
alguien que pudiera tocarlo.

Pero yo no dije nada.

Nada me hubiese gustado más que tocar el piano en el espectáculo. Pero había un gran problema: nadie sabía que yo tocaba el piano, y por supuesto, nadie me pidió que tocara. Yo era demasiado tímido como para decirle a alguien en la escuela que durante algunos años había estado tomando clases de piano. Ni siquiera se lo había dicho a Mike y a Ramón. Tenía miedo de que pensaran que tocar el piano era una tontería. Así que todos los días cuando me iba a casa a practicar, les decía que iba a hacer la tarea.

Pasaron tres semanas y todos los días practicaba el piano. Estaba aprendiendo la *Sonata en do mayor* de Mozart. Todos los días me salía mejor, y cada día me sentía más frustrado por no haberme ofrecido a tocar en el espectáculo.

Una tarde, como siempre, estaba practicando. El espectáculo sería en una semana. De pronto alguien tocó a la puerta. Yo iba por la mitad de la sonata de Mozart, así que seguí tocando.

Mi mamá abrió la puerta y me dijo que era Ramón.

—¡Qué música tan linda! —le escuché decir.

Entonces entró en la sala y me vio tocando el piano. Ramón me miró como si no pudiera creer lo que veían sus ojos.

Paré de tocar y ya me iba a levantar, cuando Ramón me pidió que siguiera tocando. Él se sentó a escuchar mientras yo tocaba el resto de la pieza. Cuando terminé, Ramón dio un brinco y aplaudió. Corrió hacia mí y me dio una palmada en la espalda.

—Mateo —me dijo—, ¡eso fue fantástico! ¡Yo ni siquiera sabía que tú tocabas piano! ¿Por qué lo mantienes tan en secreto?

No supe qué decir, me sentía como un tonto. Ramón había venido a pedirme prestado el libro de matemáticas porque había dejado el suyo en la escuela. Ahora sabía que yo tocaba el piano, y no creía que era una tontería. Gracias a Ramón, mi mayor deseo estaba a punto de realizarse.

Al día siguiente en la escuela, Ramón le contó al Sr. Rosen que yo era un gran pianista. El resto es historia. El Sr. Rosen me invitó a tocar en el espectáculo. Yo simplemente asentí con un gesto y sonreí.

—¡Estupendo! —exclamó el Sr. Rosen—. Estoy ansioso por escucharte tocar, Mateo.

Aunque ése era mi mayor deseo, sentí miedo. Nunca antes había tocado el piano teniendo como público a mis compañeros de clases y a sus padres.

Esa tarde había ensayo del espectáculo en el auditorio. El Sr. Rosen quería que todos practicaran su parte ante el público. Cheryl acababa de tocar la guitarra mientras Nilda y Mark le daban los toques finales al escenario. Lo habían decorado con muchos colores tropicales para la obra de teatro. Los actores se encontraban en el escenario practicando sus bocadillos y hablando sobre sus vestuarios. También se podía oír a James zapatear detrás del escenario.

Cuando llegó mi turno, me senté al piano en el escenario. Éste era el primero de los dos ensayos que habían programado para ese día y me sentía nervioso e inquieto. Todos mis compañeros me estaban mirando. Respiré profundo, puse mis dedos en las teclas y comencé a tocar. Después de las primeras notas, mi nerviosismo desapareció por completo. Ejecuté toda la pieza cometiendo solamente un par de errores. En el segundo ensayo, ya no me sentí tan nervioso.

En los días previos al espectáculo, estudié piano más que nunca. Mi maestra de piano, la Srta. Carol, siempre me ha dicho que es importante practicar las escalas. Las escalas hacen que tus dedos se pongan más fuertes y que la ejecución sea más uniforme. Yo siempre he tratado de escuchar atentamente todo lo que la Srta. Carol dice, pues ella es una excelente pianista. Si alguna vez yo llegase a tocar con la mitad de su precisión, sería feliz.

La Srta. Carol también habla de lo importante que es escuchar cuidadosamente cada nota mientras uno practica. Así es como te puedes dar cuenta de qué partes de una pieza necesitan más estudio. Traté de escuchar atentamente lo que estaba tocando, pero

de vez en cuando oía ruidos que venían de la calle. Mis amigos estaban afuera y sobre la música oía las voces de Mike y Ramón, que claramente la estaban pasando bien. Algunas veces era difícil seguir practicando, al saber que mis amigos estaban afuera divirtiéndose.

La *Sonata en do mayor* es una hermosa pieza musical. Quería tocarla desde el principio hasta el final sin equivocarme, pero tiene algunas partes en las que siempre me equivocaba. Toqué las partes más difíciles una y otra vez hasta que finalmente me salieron sin errores. Yo sabía que mis padres, la Srta. Carol y mis amigos vendrían a escucharme tocar, y no quería decepcionarlos.

El día del espectáculo, no me sentía nervioso.
Toqué el piano como nunca lo había hecho. Al final
de la sonata, el público estaba emocionado, y todos
aplaudieron mientras yo les saludaba con una
reverencia. Cuando miré hacia el auditorio, pude ver
a mis padres, a la Srta. Carol, al Sr. Rosen, a Ramón
y a Mike aplaudiendo de pie. Fue el momento más
feliz de mi vida. Mucho más de lo que yo había
imaginado.